Gudrun Burkh W9-BTM-589

Schlüsselfragen zur Biografie

Praxis Anthroposophie:
Taschenbücher, die die Welt nicht nur als bestehende erfassen, sondern sie auch vorausdenkend weiterentwickeln möchten.

Über das Buch:
Gudrun Burkhard hat mit ihrem ersten Buch *Das Leben in die Hand nehmen* vielen Lesern gezeigt, wie man die eigene Biografie betrachten und dadurch an ihr arbeiten kann. Mit ihrem hier vorliegenden zweiten Buch möchte sie diese Arbeit an der Biografie durch ausgewählte Fragen vertiefen helfen. Jedem Kapitel ist eine Charakterisierung des entsprechenden Lebensabschnittes vorangestellt. Das Buch eignet sich durch die eingeschobenen Leerseiten gut als Arbeitsbuch.

Über die Autorin:
Gudrun Burkhard wurde als Kind deutscher Eltern in Brasilien geboren. Sie ist Ärztin und Mitbegründerin der anthroposophischen Tobias-Klinik in São Paulo. Seit 1977 gibt sie Kurse in Biografiearbeit. Ihre weiteren Veröffentlichungen: *Das Leben in die Hand nehmen. Arbeit an der eigenen Biografie; Das Leben geht weiter. Geistige Kräfte in der Biografie; Mann und Frau. Integrative Biografiearbeit* sowie *Die Freiheit im «Dritten Alter». Biografische Gesetzmäßigkeiten im Leben ab 63.*

GUDRUN BURKHARD

Schlüsselfragen zur Biografie

Ein Arbeitsbuch

VERLAG FREIES GEISTESLEBEN

ISBN 978-3-7725-1233-9

9. Auflage 2012

Verlag Freies Geistesleben
Landhausstraße 82, 70190 Stuttgart
Internet: www.geistesleben.com

Einbandfoto: © Zefa / Hein van den Heuvel
© 1994 Verlag Freies Geistesleben
& Urachhaus GmbH, Stuttgart
Druck: Aalexx Buchproduktion, Großburgwedel
Printed in Germany

Inhalt

Einführung

Wie man das Fragen erlernen kann

Der heutige Mensch ist ein fragender Mensch. Man nimmt nicht einfach alles hin, was der Arzt, der Chef, die Regierung usw. sagen, sondern will genau wissen, warum und weshalb. Auch die Bevölkerung in den so genannten unterentwickelten Ländern lässt sich viel weniger als noch vor zwanzig Jahren etwas sagen. Gleichzeitig wird die Welt der eigenen Persönlichkeit und auch der Respekt anderen Menschen gegenüber weiterhin – oder sogar noch mehr als früher – zurückgedrängt. So wird es notwendig, das Persönlichkeits- und Selbstwertgefühl zu steigern, um einerseits das Ich zu kräftigen, andererseits den anderen in seiner Persönlichkeit anerkennen und ihn respektieren zu können.

Die Biografiearbeit hilft uns bei diesen Bemühungen, den anderen und sich selber besser zu verstehen, die irdischen und gemeinschaftlichen Aufgaben besser zu erfüllen, unsere geistigen und irdischen Ziele miteinander in Einklang zu bringen. So kann jeder einen wichtigen Beitrag zur Welt- und Menschheitsentwicklung leisten.

Ein wesentliches Element in der Biografiearbeit ist es, zu lernen, die richtigen Fragen zu stellen – aus einem Überblicken, Hinhören und geistigen Wahrnehmen. Eine richtige Frage im richtigen Moment zu stellen ist wie ein Geburtsvorgang – manchmal kommt das Kind blitzschnell, manchmal ist es schwieriger. Es ist ein kreativer Prozess, den jeder für sich und für den anderen neu schaffen muss. Richtig fragen zu lernen kann man durch Üben lernen. Je reifer man wird, desto umfassender wird man fragen können.

Eine Qualität muss jedoch immer anwesend sein, die Christuskraft. «Wenn zwei oder drei in meinem Namen beisammen sind, so bin ich mitten unter ihnen», heißt es im Neuen Testament. Sie ist inspirierend anwesend, kann aber nur mit liebevoller und respektvoller Haltung mir und den anderen gegenüber wirken.

In der Parzivalsage geht Parzival einen langen Weg voller Unwissenheit, Abenteuer, Hindernisse und Zweifel, bis es ihm gelingt, Amfortas die richtige Frage zu stellen. Auch wir beschreiten in unserem Leben, und heute mehr denn je, einen Parzival-Lebensweg, durch Unwissenheit, Abenteuer und Zweifel, bis unser Wissen und unsere Lebenserfahrung allmählich zur Weisheit werden und wir von der Mitte des Lebens an vielleicht beginnen, die richtigen Fragen an den anderen und an uns selber zu stellen.

So sollen die hier gegebenen Fragen, die natürlich nicht vollständig sein können, nur als Anregung dienen und von jedem Einzelnen ergänzt und erweitert werden.

Man ist gewohnt, anderen Fragen zu stellen, aber stellen wir uns eigentlich selbst immer die richtigen Fragen? Wir können es üben und lernen. Durch richtiges Fragen werden wir bewusster als durch Antworten.

Worum geht es im eigenen Leben?

Worum geht es im Leben eigentlich? Viele Menschen gehen an ihrem Leben vorbei, ohne es eigentlich gelebt zu haben. «Das Leben entflieht mir, ich habe alles verpasst, ich bin nur für die anderen da. Warum habe ich überhaupt gelebt? Was ist der Sinn meines Lebens?» Das sind Fragen, die wir oft hören können. Biografiearbeit kann einerseits helfen, sich selbst zu finden, herauszufinden, wie die eigenen Lebensaufgaben aussehen, und andererseits, Verständnis und Interesse für den anderen und dessen Biografie zu entwickeln.

Franz Schubert äußerte einmal: «Ich bin für nichts als das Komponieren auf die Welt gekommen.» Er kannte sein Ziel und lebte es. Jeder von uns ist für seine Komposition, für seine Lebenssymphonie auf die Welt gekommen; wir müssen nur herausfinden, wie wir die Musik spielen müssen, welche Tonart sie hat, vielleicht auch, welche Instrumente uns zur Verfügung stehen.

Drei Ströme treffen bei der Geburt eines Menschen zusammen: der Strom des «Genies», der Individualität, des geistigen Kerns, der die Lebensintentionen, Lebensmotivationen, Begabungen und Anlagen verschiedener Art mit sich bringt. Diese hat er sich durch frühere Inkarnationen erarbeitet, und sie können nun in diesem Erdenleben auf unsere Umgebung befruchtend wirken, wenn sie sich entfalten. Der andere Strom repräsentiert das irdische Element; es handelt sich um den Vererbungsstrom unserer Vorfahren, der unseren physisch-vitalen Leib ausmacht. Dazu gehören auch allerlei Einflüsse von außen wie Klima, Landschaft, Sprache, Umgebung und Zeit, in die man hineingeboren ist. Der dritte Strom, der das Seelische und die seelische Entfaltung darstellt, hat mit den Einflüssen der Menschen, denen wir im Leben begegnen, zu tun: Eltern, Familie, Erziehung, Beziehungen, Beruf usw. (vgl. Schema Seite 11).

In den ersten 21 Jahren steht die biologische Entwicklung im Vordergrund, von 21 bis 42 die seelische Entwicklung, und von 42 an ist durch die Arbeit des «Ich» für den Einzelnen verstärkt die Möglichkeit gegeben, zur geistigen Entwicklung zu kommen. Die Individualität inkarniert sich immer tiefer in den Leib bis in die Mitte des Lebens. Die Zeit bis zum 35. Lebensjahr ist eine Zeit der Vorbereitung, danach verwirklichen wir immer mehr unsere Lebensaufgabe. Wir stoßen dabei ständig auf Widerstände, an denen wir wachsen und neue Fähigkeiten erlernen können. Die Begabungen und Talente, die wir auf der Erde verwirklichen, sind Früchte voriger Erdenleben. Alles, was uns schwer fällt und von außen an Hindernissen oder Lebensforderungen an uns herankommt, müssen wir uns erarbeiten – daraus entstehen Fähigkeiten für die Zukunft. Diese Zusammenhänge sind ausführlich in meinem ersten Buch *Das Leben in die Hand nehmen* (11. Auflage 2007) dargestellt.

Ich kann mir nun die Fragen stellen: Welches sind meine Begabungen, was fällt mir leicht? Wo liegen meine Potenziale, kommen sie zur Entfaltung, mache ich von ihnen Gebrauch? So komme ich an die Lebensintentionen heran, und wenn ich auf dem richtigen Weg bin, gelingt es mir, den «roten Faden» zu finden und meine innere Biografie immer mehr zu realisieren.

Wenn ich mich frage, was mir schwerfällt, wofür ich mich

anstrengen muss, welche Hindernisse ich immer wieder überwinden muss, dann komme ich auf die Elemente, die sich in der Zukunft entwickeln werden, manchmal noch in dieser, manchmal aber auch erst in der nächsten Inkarnation. Sind nicht auch die Ereignisse, die sich viele Male in meiner Biografie wiederholen, Aufforderungen, mich mit ihnen ernsthaft auseinander zu setzen? Wenn ich ihnen aus dem Weg gehe, kommen sie von einer anderen Seite wieder. Es sind Aufforderungen, die mit mir und nicht mit den anderen oder den äußeren Umständen zu tun haben. Erst wenn ich diese Knoten löse, wiederholen sie sich nicht mehr. Es taucht daher die Frage auf: Welche Situationen wiederholen sich im Leben?

Auf der Ebene der menschlichen Begegnungen muss ich mich außerdem fragen: Was bedeutet diese Person in meinem Leben? Frei von Sympathie und Antipathie muss ich zur Objektivierung jeder Begegnung kommen. Welche Aufgabe habe ich diesem Menschen gegenüber? Oder: Warum legt er mir immer wieder Hindernisse in den Weg? Das wunderbare Gewebe der Beziehungen fängt allmählich an, sich zu gestalten. Oft ist man selber ganz erstaunt, wie sich alles ordnet. Aber wer ordnet dieses wunderbare Netz? Wer hilft mir beständig, mich selbst zu korrigieren, damit ich es besser mache?

Diese Fragen kann im Folgenden jeder für sich selbst beantworten.

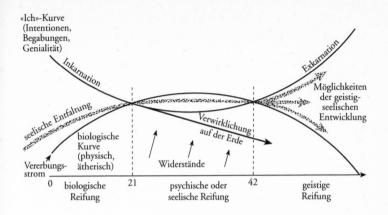

«Ich»-Kurve
(Intentionen,
Begabungen,
Genialität)

Inkarnation

Exkarnation

seelische Entfaltung

Möglichkeiten
der geistig-
seelischen
Entwicklung

Verwirklichung
auf der Erde

biologische
Kurve
(physisch,
ätherisch)

Widerstände

Vererbungs-
strom

| 0 | 21 | | 42 | |
| biologische Reifung | | psychische oder seelische Reifung | | geistige Reifung |

Von der Bedeutung der Krisen

Bevor wir uns den Fragen zu den einzelnen Jahrsiebten des Lebenslaufes zuwenden, soll vorab noch etwas Grundsätzliches zur Charakteristik von Krisen und Umbrüchen in der Biografie gesagt werden. Die erste Krise, die wir im Leben durchmachen, ist die physische Geburt. Eine Krise hat mit Trennung, mit dem Verlassen eines alten Zustandes (in diesem Fall die Geborgenheit durch den mütterlichen Leib) zu tun – dadurch nur sind Individualisierung und Selbstständigkeit möglich, die den Weg zu neuem Wachstum und zu weiterer Entwicklung freimachen.

Die Geburt ist archetypisch für solche Gesetzmäßigkeiten. Viele Male im Leben gehen wir durch Zustände des Verlassenseins hindurch, um allmählich wieder zu einer höheren Einheit zu kommen. Rudolf Steiner, aber auch schon die alten Griechen haben auf solche Zäsuren, Krisen oder Übergänge hingewiesen.

Um uns dies zu vergegenwärtigen, sei hier ein Gedicht des Griechen Solon angeführt:

Wenn im siebenten Jahr der Knabe den ersten Zahnkreis
abstößt, ist er noch ganz unreif, der Sprache kaum Herr.
Wenn aber weitere sieben Jahre der Gott ihm vollendet,
kommen schon Zeichen hervor, dass ihm die Jugend nun reift.
Barthaar keimt ihm dann im dritten Jahrsiebt, und dunkler
färbt sich die blühende Haut, kraftvoll strafft sich sein Leib.
Aber des Mannes Stärke entwickelt sich jetzt in der vierten
Siebenerreihe zuhöchst. Taten vollbringt nun der Mann.
Doch im fünften Jahrsiebt trachtet der Mann nach Vermählung,
dass in die Zukunft hinaus wachse ein blühend Geschlecht.
Drauf im sechsten reift des Mannes Gesinnung und stählt sich,
künftig mag er nicht mehr wirken an nichtigem Werk.
Vierzehn Jahre hindurch, im siebten und achten Jahrsiebt,
blühen in Fülle und Kraft Rede ihm und der Geist.
Auch im neunten noch manches, doch sinkt von der Höhe
kraftvoll männlichen Muts Weisheit und Wort ihm herab.
Wenn aber Gott das zehnte Jahrsiebt zur Neige vollendet,
ihn ereilt dann der Tod wohl zu schicklicher Zeit.

Im Lebenslauf eines Menschen gibt es viele Rhythmen, die von kosmischen Rhythmen geprägt sind. So hat jeder Planet seine Umlaufzeit, nach der er eine ähnliche Stellung wie zur Zeit der Geburt einnimmt. Die bekanntesten Umlaufzeiten sind: der Saturnumlauf (29 ½ Jahre oder rund 30 Jahre), der Jupiterumlauf (12 Jahre), der Mondknoten (Schnittpunkt der Sonnen- und Mondbahn 18 ⅔ Jahre), Mars (687 Tage). Die Einflüsse von Merkur und Venus sind durch ihren kürzeren Umlauf in einer Biografie schwieriger zu beobachten.

Auch ist jedes Jahrsiebt durch eine besondere Planetenkraft geprägt, und zwar dadurch, dass die ewige Individualität des Menschen nach dem Tod durch die Sphären der einzelnen Planeten hindurchgeht und mithilfe der geistigen Mächte (Hierarchien) ihr zukünftiges Schicksal gestaltet.

Rudolf Steiner gibt uns folgenden Hinweis: Wenn wir auf eine ganz bestimmte Phase im Leben zurückschauen, können wir ein Gefühl für die entsprechende Planetensphäre und die geistigen Wesenheiten, die dort walten, entwickeln. «Wie mit heiliger Scheu hinzuschauen auf die Schicksale der Menschen, das ist auch etwas, was wir uns aneignen müssen, was die Zeit sich aneignen muss. Wenn man Biografien liest, die unsere heutigen materialistisch gesinnten Menschen schreiben, so ist es eigentlich furchtbar, denn die werden ohne heilige Scheu vor dem Schicksal desjenigen geschrieben, für den man diese Biografie schreibt. Eigentlich sollten Biografen wissen, dass, indem sie in ein Menschenleben auch nur schildernd hineingreifen, sie in einer unsichtbaren Weise in alle Hierarchien hineingreifen.» (Rudolf Steiner am 30.5.1924 in Dornach, *Esoterische Betrachtungen karmischer Zusammenhänge,* Band II, Gesamtausgabe (GA) 236).

Durch solche Hinweise wird deutlich, mit welcher Ehrfurcht wir an die Biografie eines anderen Menschen und an die Betrachtung der eigenen Biografie herangehen müssen. In den Büchern *Der Lebenslauf* von George und Gisela O'Neil (Stuttgart, 3. Aufl. 2002) und *Das Leben geht weiter* von Gudrun Burkhard (Stuttgart, 2. Aufl. 2004) werden diese Zusammenhänge ausführlich dargestellt.

Charakterisierung des ersten Jahrsiebts:
0 bis 7 Jahre / «Die Welt ist gut»

Das erste Jahrsiebt hat mit dem Individualisierungsprozess des physischen Leibes zu tun. Die vererbten Substanzen, hauptsächlich das Eiweiß, werden nach und nach ausgeschieden, und neue, eigene Substanz wird aufgebaut. Störungen, die das verhindern, können später zu Krankheiten führen – hauptsächlich zu selbstzerstörerischen Krankheitserscheinungen (d.h. autoimmunen Krankheiten), in denen das Ich des Erwachsenen den Prozess nachvollziehen will, der in der Kindheit nicht gelungen ist. Die so genannten Kinderkrankheiten sind Hilfen für die Entwicklung im ersten Jahrsiebt und helfen, die vererbte Substanz abzustoßen. Im ersten Jahrsiebt wird die Grundlage der physischen Gesundheit gelegt. Drei Ströme, die der Individualität, der Vererbung und der Umgebung, fließen in dieser Zeit zusammen. Das erste Jahrsiebt steht unter dem geistigen Einfluss der Mondkräfte. Diese hängen mit Wachstum und Zellvermehrung zusammen. Sie sind die Träger der Vererbungskräfte und haben mit der Vergangenheit zu tun.

Das Ich und die Seele erwachen im physischen Leib durch die Sinneseindrücke. Unsere Sinne sind die Tore zur Außenwelt; die Außenwelt strömt durch sie in uns ein.

Die Sinneseindrücke können die innere Umgestaltung der Organe fördern oder deformieren, da das Kind vollkommen offen und so den Einflüssen der Umwelt schutzlos ausgeliefert ist. Schockerlebnisse, Unerfreuliches, Hässliches, Kälte usw. schrecken Geist und Seele von der Erdenwelt ab, und der Leib und die Welt werden dann als fremd erlebt. Im späteren Leben entstehen daraus mangelnde Durchblutung und Durchatmung, eine Entseelung des Leibes findet statt. Geist und Seele haben sich nicht genügend mit dem Leib verbunden.

Vom Kopf aus, in dem das Nerven-Sinnes-System zur Reifung kommt, strömen die Gestaltungskräfte (Formkräfte) durch den ganzen Organismus; Form- und Mineralisierungsprozesse müssen das Gleichgewicht mit den auflösenden, wässerigen Kräften finden. Es bilden sich zum Beispiel klein- oder großköpfige Kinder, je nachdem, welches Prinzip überwiegt (Gestaltung / Mineralisierung oder Wässriges / Auflösendes). Die physische Konstitution für das Leben wird angelegt; in ihr sind die Vererbungskräfte stark wirksam.

Die Bewegung, das Tun und vor allem die Nachahmung sind weitere Elemente des Erwachens im eigenen Körper. Dessen Bewegungsmöglichkeiten erweitern sich langsam. Der Bewegungsradius vergrößert sich in der jeweils neuen Umgebung: in der Wiege, im Zimmer, im ganzen Haus, im Garten, auf der Straße, in der näheren Umgebung. Schrittweise erobert sich das Kind seine Umwelt. Dieser Prozess ist archetypisch für das ganze Leben und wiederholt sich später auf verschiedenen Ebenen (physisch, seelisch und geistig).

Physische Grenzen geben Sicherheit; ein Übermaß an Grenzen führt zu körperlicher Unbeweglichkeit, ein Fehlen (z.B. bei einem neugeborenen Kind, das nicht gewickelt wird) führt leicht zu Zappeligkeit.

Im ersten Jahrsiebt öffnet sich das Kind mit Andacht der Welt: Es bewundert das Kleine, eine Blume, einen Käfer, aber ebenso den Erwachsenen, den es nachahmt. Es bilden sich die «organischen» Grundlagen der moralischen Kräfte im Leben. In seiner seelischen Entfaltung braucht das Kind zur Entwicklung der Fantasie die Märchen, für das Gefühlsleben die Rituale, den Rhythmus des Ins-Bett-Bringens, des Aufwachens, der Mahlzeiten und so weiter sowie Jahresfeste und Geburtstagsfeiern. Und für das Willensleben sind die Spiele maßgebend. Spielen zu lernen heißt, im späteren Leben das Arbeiten zu lernen und zu lieben, weil der Erwachsene jetzt seine kindliche Kreativität in verwandelter Form gebrauchen kann.

Vater und Mutter sorgen für eine Nestwärme, die im Kind Liebe und Vertrauen gegenüber Mitmenschen und der Umgebung weckt. Fehlt sie, so entstehen Kälte, Misstrauen und Ängste.

Natürlich entwickeln sich in diesem ersten Jahrsiebt alle wichtigen psychomotorischen Fähigkeiten, besonders das Gehen, und – im Zusammenhang damit – die Fähigkeiten des Sprechens und Denkens, die die Grundlage eines gesunden Menschseins bilden. Daraus ergibt sich die Frage: Wie stehe ich im Leben? Wie beherrsche ich meinen Körper und den physischen Raum um ihn? Habe ich ein Gefühl von vorne, hinten, oben, unten, rechts, links entwickelt? Wenn ich das nicht habe, wie spüre ich dann die Führung von oben, die Führung durch meinen Engel?

Die zweite Frage wäre: Wie verständige ich mich mit meinen Mitmenschen? Kann ich zuhören, kann ich mich richtig ausdrücken? Erst durch ein wahres Gespräch wird das Bibelwort zur Realität: «Wenn zwei oder drei in meinem Namen beisammen sind, dann bin ich mitten unter ihnen», und eine neue Kraft kann entstehen.

Die dritte Frage wäre: Wie betätige ich heute mein Denken – bin ich ein offener Mensch, frei von Vorurteilen den Ideen anderer Menschen gegenüber, bin ich bereit, immer Neues zu lernen, kann ich bei jedem wahren Gedanken das Staunen aus meiner Kindheit erleben oder die Biografie eines anderen so in mich aufnehmen, dass ich seine wahre Gestalt erfassen kann?

Die Fähigkeiten des Gehens, Sprechens und Denkens sind uns geschenkt, bevor wir überhaupt ein Erinnerungsvermögen haben, denn dieses erwacht ja erst mit dem Aufleuchten des ersten Ichbewusstseins (um das dritte Lebensjahr). Vermögen wir als Erwachsene die Gefühle der Dankbarkeit dafür zu entwickeln, dass wir laufen, sprechen, denken können – überhaupt für unser Sein, das auf dem ersten Jahrsiebt gründet? Einige weitere Fragen zum ersten Jahrsiebt helfen uns, ein vollständigeres Bild zu bekommen, aus dem wir vielleicht das Grundgefühl «die Welt ist gut» auf unsere Lebenswanderung mitnehmen können.

Fragen zum ersten Jahrsiebt:
o bis 7 Jahre

Name und Familienname

Geburtsdatum

Wie wurdest du genannt, hattest du Kosenamen, bis wann, von wem?

Wie war deine Geburt – natürlich, wurde sie eingeleitet, war sie ausgereift oder eine Frühgeburt (wann)?

Warst du ein erwünschtes Kind?

Wie alt waren deine Eltern bei deiner Geburt?

Welche Berufe hatten deine Eltern und deine Großeltern?

für weitere Eintragungen

Siehst du mehr dem Vater oder der Mutter ähnlich?

Hatten die Eltern oder andere Angehörige besondere Krankheiten – welche?

Gab es psychische Krankheiten, Nervenkrankheiten, Diabetes, Krebs, Tuberkulose, Herzkrankheiten, Alkoholismus oder andere Süchte oder Krankheiten in der Familie?

Welche Nationalität, Sprache, Konfession hatten deine Eltern?

In welcher Landschaft, in welchem Haus verbrachtest du deine Kindheit?

Gab es einen Garten?

Hattest du ein eigenes Zimmer?

für weitere Eintragungen

Welche Beziehung hattest du zu Mutter und Vater und zu den Großeltern?

Wohnten noch andere Menschen im Haus?

Wo stehst du in der Geschwisterreihe, und wie waren deine Beziehungen zu den Geschwistern?

Wie war dein menschlicher Umkreis?

Welche Familiengewohnheiten prägten dein Leben?

Welches war deine Muttersprache, und hast du noch andere Sprachen gesprochen?

Gab es Umzüge in dieser Zeit?

An welche Sinneseindrücke erinnerst du dich (Gerüche, Farben, Berührungen, Töne ... in Bezug auf Land, Gegend, Natur, Garten, Haus, Tiere, Menschen, Elemente ...)?

für weitere Eintragungen

An welche Tätigkeiten erinnerst du dich?

Welche Spiele liebtest du (drinnen – draußen)?

Was hast du nachgeahmt?

Wen hast du nachgeahmt?

Welche Eigenarten hattest du?

Wie sah deine Gefühlswelt aus?

Wie waren die Naturerlebnisse?

Lebten die Naturreiche in dir?

Wie war deine Religiosität?

für weitere Eintragungen

Hattest du Gelegenheit dazu – Andacht, Gebet, Ehrfurcht, Liebe und Vertrauen?

Gab es Rituale im Tagesrhythmus: beim Aufwachen, beim Schlafengehen, bei den Mahlzeiten?

Wurden die Jahresfeste gefeiert?

Wie verhielt es sich mit der «Nestwärme»?

Wie war die Erwartungshaltung an dich?

Hattest du Gefühlsausbrüche?

Hattest du Ängste, warst du eifersüchtig?

Wie hast du Verbote und Strafen erlebt?

für weitere Eintragungen

Hattest du an seelischen Verletzungen und Entbehrungen zu leiden?

Spürtest du Entdeckerfreuden?

Was war deine erste Erinnerung?

Welches waren die wichtigsten Ereignisse im ersten Jahrsiebt, an die du dich erinnerst?

gute:

schlechte:

Wann hast du das erste Mal «ich» zu dir gesagt?

Hast du Schicksalsschläge wie Krankheiten, Unfälle, Schocks, Verluste erlitten?

für weitere Eintragungen

Welche Bedeutung hatten Märchen, Geschichten, Kinderlieder, Spiele und Spielsachen, Fernsehen, elektronische Spiele, Comics etc. für dich?

Wie erlebtest du den Kindergarten und die Einschulung – in welchem Alter?

Warst du ein ruhiges oder ein nervöses Kind – aufmerksam oder zerstreut?

Wann begann der Zahnwechsel?

Wie war deine Ernährung?

Hast du Muttermilch bekommen? Bis wann?

Hast du naturbelassene Milch oder industriell weiterverarbeitete Milch bekommen? Andere Produkte?

für weitere Eintragungen

Was war deine Hauptnahrung? Was hast du am liebsten gegessen?

Welche Krankheiten hattest du?

Gab es Unfälle oder chirurgische Eingriffe?

Welche Impfungen hast du bekommen? Welche Medikamente oder Vitamine?

Wie sah dein Rhythmus von Schlafen und Wachen aus?

Wie sahen andere Rhythmen aus – Essen, Baden usw.?

Wie war deine Konstitution? Warst du groß- oder kleinköpfig, kräftig oder zart?

Wann hat sich die Fontanelle geschlossen?

für weitere Eintragungen

Wann und wie erfolgten Aufrichten, Gehen und Sprechen?

Wann warst du trocken? Gab es Auffälligkeiten (z.B. Bett-nässen)?

Wie war dein Grundgefühl für dieses Jahrsiebt? (Farbe, Be-wegung, Bild)

Welche Kräfte oder Behinderungen resultieren aus dem ersten Jahrsiebt für dein weiteres Leben?

für weitere Eintragungen

Charakterisierung des zweiten Jahrsiebts:
7 bis 14 Jahre / «Die Welt ist schön»

Die Schulreife geht mit einer neuen Geburt oder Trennung einher: Das unsichtbare Lebensband der vitalen Kräfte, das das Kind noch mit der Mutter verbunden hat, löst sich, und so ist eine Individualisierung des Lebensleibes möglich. Das Kind ist nun physisch-vital nicht mehr von der Mutter abhängig, wohl aber weiterhin im Seelischen. Nach Ausbildung der Organe werden Kräfte frei, die jetzt zum Lernen gebraucht werden können. Die Lernfähigkeit entfaltet sich durch Fantasie, Vorstellung und Gedächtnis, Wiederholung, Gefühls- und Willenstätigkeit. Die Nachahmung spielt in den ersten zwei Jahren dieses Jahrsiebts (von 7 bis 9) noch eine Rolle.

Im zweiten Jahrsiebt ist das Seelisch-Geistige an der Reifung der rhythmischen Organe, Herz und Lunge, den Trägern unseres Gefühlslebens beteiligt. Das Kind atmet nicht nur die Luft, sondern die ganze Welt ein und aus. Ein Innenleben beginnt sich zu entwickeln, und gleichzeitig ein Außen, das sich dem anderen zuwendet; die Klassenkameraden sind häufig wichtiger als der Unterricht der Lehrer; der soziale Kontakt ist maßgebend für die weitere soziale Entwicklung im Leben. Der Lehrer und zum Teil noch die Eltern werden Vermittler zwischen der Welt und dem Kind. Es prägen sich die Weltkonzepte der Erwachsenen ein; später fragt man sich: Wieso habe ich denn dieses Bild von der Welt? In der Rückerinnerung findet man einen Lehrer, der dafür verantwortlich ist. Normen und Verhaltensregeln prägen sich ein. Der eine wird vielleicht von zu autoritären Vorgaben schier erstickt, während dem anderen zu wenige Normen mitgegeben werden, die ihm eine nicht altersgemäße Freiheit erlauben. Keine Grenzen gesetzt zu bekommen kann man wie ein zu starkes Ausatmen erleben. Zu starke Grenzen führen eher zu einer introvertierten Seele, zu schwache eher zu einer extrovertierten Seele. Wenn zwischen starker und schwacher Grenzsetzung im zweiten Jahrsiebt kein Rhythmus angelegt worden ist, müssen sie später durch eigene Arbeit ins Gleichgewicht gebracht werden. Kann ich als Erwachsener einem anderen Menschen gegenüber Grenzen setzen? Habe ich Ehrfurcht gegenüber anderen, das Anerkennen einer Autorität gelernt?

Die Liebe spielt hier eine wesentliche Rolle; ich lerne von den Menschen, die ich lieben kann oder die auch mich lieben und verstehen. Das Ich–Du-Verhältnis pendelt sich ein. Das väterliche und das mütterliche Prinzip in der Erziehung spielen eine große Rolle, auch das Zuhause, die Geschwister, die Freundschaften. Gewohnheiten prägen sich in dieser Lebensepoche stark ein. Jetzt entfalten sich auch die verschiedenen Temperamente. Wie sind in meinem Leben die Kräfte von Feuer, Luft, Wasser und Erde gemischt? Raum- und Zeiterlebnisse spielen eine große Rolle – die Jahresrhythmen, Monats-, Wochen und Tagesrhythmus.

Künstlerischer Unterricht – Musik, Malen, Plastizieren, Bewegungskunst, Theaterspielen – und Unterricht in den klassischen Lernfächern, Sport und Spiel, Freizeit und Lernzeit, Ferien und Schulzeit sollten in harmonischem Rhythmus wechseln.

Die religiöse Erziehung ist ein Element, das das Gefühlser- lebnis entwickelt: Können wir Glauben und Hoffnung gegen Angst und Mutlosigkeit als Erwachsener stellen? Auch Natur- und Kunsterlebnisse können das vermitteln und bilden die Grundlage für das ästhetische Gefühl im Leben. Das Motto dieses Jahrsiebts lautet denn auch: «Die Welt ist schön.»

Ein besonderes Augenmerk muss auf das neunte Lebensjahr gelegt werden. Jetzt erwacht das «Ich» im Gefühlsleben. Ich fühle anders als meine Mutter oder meine Geschwister; Ar- mut und Reichtum werden stärker erlebt, auch die Beziehung zu Eltern, Geschwistern, Freunden und Lehrern. Das Gefühl für gerechte Behandlung, für Bestrafung und Belohnung wird intensiver, aber auch Einsamkeitserlebnisse verstärken sich; es ist wie eine Vorankündigung der Adoleszenz.

Mit dem zwölften Lebensjahr beginnt die Präpubertät. Wie der Jesusknabe im Tempel durch eine besondere Veränderung geht, erlebt das Kind hier häufig die erste Stimme der Beru- fung. Die Frage, ob die Arbeit dann als Pflicht oder Freude erlebt wird oder ob man gar schon Geld verdienen muss, weil es notwendig ist, oder ob man Geld als Belohnung bekommt, damit man lernt, das Eigentum eines anderen zu respektie- ren – alles das sind prägende Elemente für das spätere soziale Leben. Diese Phase ist von den merkurialen Kräften geprägt; Merkur ist der Heiler, der Vermittler zwischen oben und un- ten, innen und außen. Unser rhythmisches System ist von Natur aus das gesündeste – so auch dieses Jahrsiebt.

Die volle Geschlechtsreife führt uns dann zur nächsten Phase. Wir können dieses Jahrsiebt wieder mit wesentlichen Fragen ergänzen und uns dadurch verstärkt dieser Phase bewusst werden.

für weitere Eintragungen

Fragen zum zweiten Jahrsiebt:
7 bis 14 Jahre

Mit wie viel Jahren wurdest du eingeschult?

Welche Art von Unterricht hast du genossen?

Wurden deine Fantasiekräfte und deine innere Bilderwelt gepflegt?

Gingst du gerne zur Schule?

Welches waren deine Lieblingsfächer, welche fielen dir schwer?

Warst du ein guter oder ein schlechter Schüler?

für weitere Eintragungen

Warst du aufmerksam oder zerstreut, aktiv oder faul in der Schule?

Hattest du ein gutes Gedächtnis?

Wie waren deine Beziehungen zu den Lehrern?

Wie waren deine Beziehungen zu den Mitschülern und zum sozialen Umfeld?

Wie verbrachtest du die Ferien?

Hattest du Gelegenheit zu Naturerlebnissen und Ausflügen?

Welche sportlichen Aktivitäten übtest du aus? Wann?

Welches waren deine Lieblingsspiele? Gab es Mutproben oder Wettbewerbe?

für weitere Eintragungen

Welches waren deine Lieblingsbücher?

Hast du gerne Tagebuch geführt oder gedichtet?

Welche Verpflichtungen hattest du?

Wie war dein Verhältnis zu Hause zu Vater, Mutter, Geschwistern oder anderen Familienangehörigen?

Wer war deine wichtigste Bezugsperson?

Welche Autoritäten hast du gefürchtet?

Welche Gewohnheiten herrschten zu Hause? Wie sah Essen, Schlafen usw. aus?

Wie war dein Tages-, Wochen-, Monats-, Jahresrhythmus?

für weitere Eintragungen

Welche Normen wurden dir vermittelt?

Welche Normen haben sich später im Leben positiv und welche negativ ausgewirkt?

Lerntest du Ehrfurcht, Liebe kennen?

Gab es Strafe und Lob?

Hattest du Taschengeld oder kleine Verdienstmöglichkeiten?

Welche Rolle spielten Kunst und Ästhetik in deinem Zuhause?

Welche Werte waren für deine Eltern wichtig?

Wie war deine religiöse Erziehung?

für weitere Eintragungen

Hattest du Gelegenheit zu künstlerischer Betätigung (Musik, Malen, Plastizieren, Theater, Tanz)?

Hast du eine besondere Veränderung um das neunte Jahr herum verspürt?

Welche äußeren wichtigen Ereignisse positiver oder negativer Art gab es?

Wie war deine Gefühlswelt (Hass / Liebe – Mitleid / Eifersucht)? Welche Ängste hattest du?

Hast du um das zwölfte Jahr herum besondere Veränderungen äußerer oder innerer Art bemerkt?

Welche Berufswünsche hattest du damals?

Wie gingst du mit den Kommunikationsmitteln um – mit Telefon, Internet usw.?

für weitere Eintragungen

Musstest du besondere Arbeiten verrichten? Welche machten dir Spaß, welche waren dir unangenehm?

Wie war dein Verhältnis gegenüber Computer, Fernsehen, Videos usw.?

Wurden deine Gefühle wahrgenommen und respektiert?

Wurdest du gerecht behandelt?

Hattest du ein Gefühl für Gerechtigkeit, auch anderen gegenüber?

Konntest du Freunde nach Hause bringen, oder warst du mehr bei den anderen?

Wie warst du gekleidet?

Fühltest du dich schön oder hässlich? Hattest du noch andere Gefühle bezüglich deiner selbst?

für weitere Eintragungen

Welche Temperamentsanlage bildete sich in dir aus?

Wann war die Hauptwachstumsperiode in dieser Lebensphase? Warst du in dieser Zeit ein kräftiges Kind?

Wie haben sich Atmung und Kreislauf eingespielt? Littest du unter kalten Füßen und Händen? War dir öfter kalt oder immer zu heiß?

Was hattest du für Krankheiten in dieser Zeit? Welche Medikamente hast du genommen? Wie sahen deine Ernährungsgewohnheiten aus?

Hattest du Unfälle, Knochenbrüche, Operationen?

Wann war deine erste Menstruation oder Ejakulation?

Welche Kräfte oder Behinderungen resultieren aus dem zweiten Jahrsiebt für dein weiteres Leben?

für weitere Eintragungen

Charakterisierung des dritten Jahrsiebts:
14 bis 21 Jahre / «Die Welt ist wahr»

Die Pubertätskrise um das vierzehnte Lebensjahr herum hängt mit dem Inkarnationsprozess im Stoffwechsel-Gliedmaßen-System und in den Sexualorganen zusammen. Dadurch entsteht ein großes Spannungsfeld zwischen dem Ideal-Geistigen, das in der Adoleszenz stark erwacht, und den Trieben und Instinkten, dem Körperlich-Biologischen, das sich offenbart. Die Sexualdrüsen reifen, und die von ihnen produzierten Hormone sind verantwortlich für die großen körperlichen Veränderungen, die sich in dieser Zeit vollziehen.

Der Mensch erreicht jetzt die Erdenreife (wie es Rudolf Steiner nennt). Der Leib kommt intensiver in die Erdenschwere, die von der Seele erlebt wird. Eine Schwelle vom Kosmisch-Geistigen ins Physisch-Irdische wird in dieser Zeit überschritten, die nicht ungefährlich ist und bis in Todeserlebnisse oder Selbstmordgedanken erlebt werden kann. Eine neue Trennung – die seelische Trennung von den Eltern – vollzieht sich, es findet die Geburt des Astralleibes statt, die zur Individualisierung des eigenen Seelenleibes führt. Mit der Geschlechtsreife wird die Differenzierung zwischen männlich und weiblich deutlich, nicht nur auf biologischem, sondern auch auf seelischem Gebiet. Der Impuls der Vereinigung der Geschlechter kommt aus der Sehnsucht nach der Einheit.

Die gleichzeitige Trennung von der geistig-seelischen Welt, dem verlorenen Paradies der Kindheit, führt auch hier zur Sehnsucht nach Wiedervereinigung. Sie drückt sich in der Suche des jungen Menschen nach Idealen aus. Nicht nur die Suche nach Idealen, sondern auch die Suche nach sich selbst bringt den Jugendlichen dazu, sich allerlei Ideologien oder religiösen Richtungen zuzuwenden, vom Marxismus bis zum Buddhismus. Selbsterziehung ersetzt nun die autoritäre Erziehung des zweiten Jahrsiebts. Die Entfaltung der eigenen Persönlichkeit, das Streben nach Freiheit und Unabhängigkeit schiebt sich immer mehr in den Vordergrund. Die äußere Freiheit kann durch Übernehmen von Verantwortungen im Gleichgewicht gehalten werden. Innere Freiheit ist nötig zur Entfaltung der Persönlichkeit. Der junge Mensch braucht dafür seinen eigenen physischen Raum; einen seelischen Raum, wo die Freundschaften sich entfalten können und Ich-Du-Beziehungen geübt werden; einen geistigen Raum, wo Begabungen, Anlagen usw. gefördert und nicht unterdrückt werden. Werde ich auf diesem Weg von Eltern und Erziehern unterstützt? Ergreife ich einen Beruf aus innerer Berufung oder weil Vater oder Mutter dies oder jenes verwirklicht sehen wollen oder weil ich zum Arbeiten und Geldverdienen gedrängt werde (häufig aus äußerer Notwendigkeit) oder zu einem Studium, das mir gar nicht liegt, da ich vielleicht lieber einen praktisch-technischen Beruf ergreifen möchte?

Liebe und Interesse an der Welt und den zeitgemäßen Gegebenheiten müssen geweckt werden; man möchte Authentizität bei den Erwachsenen finden, die Wahrheit in der Wissenschaft, echte religiöse Gefühle. Wie gehe ich psychologisch mit dem anderen um? Wie gehe ich mit mir selber um, wie beherrsche ich meine Gemütsschwankungen – himmelhoch jauchzend, zu Tode betrübt? Was bedeuten die Einsamkeitserlebnisse – halte ich sie aus? Der Jugendliche fragt nach dem tieferen Sinn des Lebens. Oder weicht er diesen Fragen aus, indem er sich in Drogen- oder Alkoholkonsum flüchtet, in Sex, in virtuelle Beziehungen oder indem er sich irgendwelchen Sekten anschließt? Oft flüchtet er sich in die Welt des Internets oder der Videospiele. Die Flucht in übermäßigen Sport kann den Leib sehr verhärten. Verneinung der eigenen Körperreife ist eine weitere Abweichung in dieser Phase. Anlagen zur Hysterie oder Neurasthenie kommen zur Erscheinung und müssen angegangen werden.

Die Gruppe und die Freunde sind wichtig, beeinflussen den jungen Menschen stark; aber allmählich, nach dem 19. Lebensjahr, sieht er immer klarer; es gelingt ihm, den eigenen Weg, die eigenen Gedanken, auch innerhalb einer Gruppe, den anderen entgegenzusetzen. Diese Phase ist von den Venuskräften beeinflusst: Liebe und Interesse für die Welt, das Erwachen des Eros, Schönheit und Ideale.

Mit etwa 18 ⅔ Jahren (astronomisch entspricht dies der Zeit zwischen zwei Mondknoten) werden dann bei vielen Jugendlichen die Berufsanlagen sichtbarer, auch Fragen über die Arbeitswelt, über den Wert der Arbeit und den Wert des Geldes tauchen auf. Woher kommt das Geld, um alle meine Wünsche zu erfüllen?

Planetenqualitäten und -kräfte werden in diesem Jahrsiebt sichtbar; anscheinend verändert sich das Temperament, aber mit der Individualisierung des Seelenleibes treten bestimmte Charaktereigenschaften mehr hervor und können durch den Schulunterricht verstärkt oder ausgeglichen werden.

Die Planetenqualitäten des Seelenlebens:

Saturnqualitäten: forschen, in die Tiefe gehen, vergangenheitsbezogen, Treue und Zuverlässigkeit, Einsicht.

Jupiterqualitäten: harmonisieren, Überschau, Ordnung, globales Denken, Herrschertum.

Marsqualitäten: unternehmerisch, Ideen in die Wirklichkeit bringen, zielgerichtet, zukunftsgerichtet, Mut, Aggressivität.

Venusqualitäten: pflegerisch, Schönheitssinn, Milieu schaffend, fantasievoll.

Merkurqualitäten: kombiniertes, assoziatives Denken, Anpassungsfähigkeit, Flexibilität, Erneuerung, Sachen in Bewegung bringen, Oberflächlichkeit.

Mondqualitäten: ordnen, spiegeln, Naturempfinden, genießen.

Sonnenqualitäten: alle anderen Kräfte in Harmonie bringen, strahlend, kreativ, verbindend.

Von der Adoleszenz an nimmt man sein eigenes Schicksal nun in die Hand. Die eigenen Taten haben Konsequenzen für das Leben.

So können uns die untenstehenden Fragen zu einem größeren Bewusstsein dieser Phase führen.

Fragen zum dritten Jahrsiebt:
14 bis 21 Jahre

Wann hast du die physischen Veränderungen an deinem Körper bemerkt? Wie bist du damit umgegangen?

Wie war das sexuelle «Erwachen»? Homosexualität? Heterosexualität?

Wie hast du deine Kräfte empfunden?

Welche Krankheiten hattest du in der Zeit? Unfälle? Medikamente?

Was war in dieser Zeit mit Drogen, Rauchen, Alkohol und anderen Süchten?

Hattest du Depressionen oder Wutausbrüche in dieser Zeit? Selbstmordgedanken?

für weitere Eintragungen

Wie war deine Beziehung zur Nahrung?

Welche Ideale sind in dir damals erwacht? Hattest du Idole?

Warst du in politischen Parteien tätig oder in anderen Gruppen?

Was hattest du für Interessen?

Wie ging die schulische Bildung weiter?

Welche Fächer interessierten dich am meisten?

Warst du ein guter Schüler? Wo lagen deine Schwierigkeiten?

Mit wie viel Jahren musstest du ein Studium wählen oder die Berufswahl treffen? Welche?

für weitere Eintragungen

Welche Verantwortungen hattest du?

Wie war dein Freundeskreis, und welche gemeinsamen Interessen hattet ihr? Wurdest du in der Gruppe leicht oder schwer
angenommen? Warum?

Gab es Arbeiten, die du spontan auf eigene Initiative und mit
Freude machtest? Welche?

Gab es Berufungen oder Begabungen, die du nicht ausleben
durftest? Welche?

Hattest du Arbeitsverpflichtungen außer den schulischen
Leistungen?

Hattest du deinen eigenen physischen Raum?

Hattest du seelischen Raum? Eigene Freunde? Platz in der
Familie? Eine Privatsphäre? Geheimnisse?

für weitere Eintragungen

Wurdest du in deinen Lebens- und Berufssituationen von deinen Eltern gestützt, oder wurden sie bekämpft?

Wie war die Beziehung zu deinen Eltern?

Gab es Menschen, die für dich ein Ideal und Vorbild waren?

Welcher Art?

Gab es Menschen, mit denen du dich aussprechen konntest und von denen du dich verstanden fühltest?

Gab es Menschen, die dich in negativer Weise beeinflusst haben?

Was waren deine Lieblingsbücher und deine Lieblingsfilme, welche Musik hörtest du am liebsten?

Triebst du Sport? Was war dein Lieblingssport?

für weitere Eintragungen

Unternahmst du gerne Reisen?

Wurdest du konfirmiert?

Pflegtest du ein religiöses Leben?

Hattest du Gelegenheit, dein Gefühlsleben zu äußern?

Hattest du einen Freund, eine Freundin?

Wie gingst du mit Geld um? Hattest du Taschengeld, selbst verdientes Geld oder bekamst du nur dann etwas, wenn du es unbedingt brauchtest?

Wie war deine Beziehung zur Wahrheit?

Wie verhieltest du dich in Bezug auf Computer, Internet und Videospiele?

für weitere Eintragungen

Auf welchem Gebiet fühltest du dich frei?

Auf welchem Gebiet fühltest du dich unfrei?

Wie sahen deine Lebenspläne aus?

Hast du Wehr- oder Zivildienst gemacht?

Hast du eine wesentliche äußere oder innere Veränderung um das neunzehnte Lebensjahr gespürt?

Welche Planetenqualitäten haben sich besonders entfaltet?

Welche Kräfte oder Behinderungen resultieren aus diesem Jahrsiebt für dein späteres Leben?

Charakterisierung des vierten Jahrsiebts: 21 bis 28 Jahre

Mit 21 Jahren kommen wir allmählich in die Phase der Emanzipation – der Aufbau des physischen Leibes ist vollbracht, die Organe sind ausgereift und die Ich-Kräfte werden nun frei für die seelisch-geistige Entfaltung. Man spricht in der Anthroposophie von der Ich-Geburt, auch wenn das ein schrittweise sich vollziehender Prozess ist; man wird mündig. Bernard Lievegoed setzt sogar das richtige Erwachsensein erst ab dem 42. Lebensjahr an. Es geht also jetzt um Jahre der Reifung, in denen man intensiv aus den Erfahrungen lernen kann.

Das 21. Jahr steht am Anfang der seelischen Entwicklung, die Rudolf Steiner in drei großen Etappen schildert und mit den Namen Empfindungsseele, Verstandes- und Gemütsseele und Bewusstseinsseele bezeichnet. Das Ich hat die Möglichkeit, Vergangenheit aufzuarbeiten und die Werkzeuge fürs Leben auszuarbeiten. Der junge Mann, die junge Frau versuchen ihre Identität in der Welt darzuleben. Viele sind noch in der Selbstfindungsphase, und einige gehen durch Identitätskrisen hindurch, die häufig um das 21. Lebensjahr entstehen. Wie erlebe ich die Welt? Ich suche nach neuen Eindrücken, Erlebnissen, Abenteuern, die mir durch Arbeit, Beziehungen, Reisen vermittelt werden.

Eine gewisse Unsicherheit ist eine natürliche Erscheinung dieser Phase; dafür gewinnt man Flexibilität und Anpassungsfähigkeit. Eine seelische Abhängigkeit von der Umgebung ist natürlich, so wie man im ersten Jahrsiebt physisch von der Umgebung abhängig ist. Welchen Eindruck mache ich auf den anderen – was denkt er von mir? Wir nehmen in dieser Zeit allerlei Rollen auf uns und richten uns nach neuen Normen, die diesen Rollen entsprechen. Wie weit erdrücken sie uns oder ermöglichen uns eine weitere Entfaltung?

Unsere Ideale haben keine Grenzen – ein natürlicher Enthusiasmus begleitet uns, unser Gemüt ist schwankend, und die Phase extremer Gefühlsschwankungen (himmelhoch jauchzend, zu Tode betrübt) begleitet uns weiter. Es fehlt uns noch die Objektivität; mein Standpunkt ist der einzig gültige! Wir suchen Partnerschaft im Beruf und in der Lebensgemeinschaft; beides soll sich ergänzen. Wir haben den Beziehungen gegenüber Erwartungen, Forderungen, Frustrationen.

Auch hier bilden wir gerne Freundschaftsgruppen mit Menschen, die ähnliche Interessen haben; das wirkt sich im praktischen Leben aus, indem wir z.B. Wohngemeinschaften bilden.

Was die Arbeit anbetrifft, lernen wir durch Erfahrung und durch Auswertung, entweder durch Selbstauswertung oder durch einen Chef, der uns dabei hilft. Die Arbeit muss uns allmählich finanziell tragen. Unsere Arbeitsinstrumente müssen adäquat sein und ständig «geschliffen» werden. Wir leben in den so genannten Wanderjahren, in denen die Vielfältigkeit der Arbeit uns reiche Erfahrung und Übersicht verschafft. Der Kampf um die Freiheit geht weiter – selbstständig, finanziell unabhängig zu sein. Langsam müssen wir auch zur Erkennung der eigenen Begabungen kommen.

In dieser Phase sind wir noch sehr auf uns bezogen, was richtig ist, da das Ich ja erst «geboren» ist und sich festigen muss. Es gibt einen natürlichen Egoismus, und wir sprechen häufig von unseren eigenen Erlebnissen und Standpunkten, ohne den anderen zu berücksichtigen.

Um zu einer größeren Objektivität zu kommen, helfen uns Naturbetrachtungen – Betrachtungen von Pflanzen, Tieren, Wolken usw. Sie helfen uns auch dabei, unser Gefühl zu läutern, unser Denken zu aktivieren und unseren Willen zu erziehen. Solche Übungen sind in dem Buch *Wie erlangt man Erkenntnisse der höheren Welten?* von Rudolf Steiner zu finden.

Wieder können uns einige Fragen zu einem größeren Bewusstsein dieser Phase führen.

Fragen zum vierten Jahrsiebt:
21 bis 28 Jahre

Wie war dein Lebensgefühl um das 21. Lebensjahr?

Hattest du eine Krise zu dieser Zeit?

Wann begannst du außerhalb der Familie zu leben?

Hattest du das Empfinden, dass du im richtigen Studium oder Beruf warst?

Wann warst du finanziell unabhängig?

Hattest du Gelegenheit, schon während des Studiums zu arbeiten oder während der Arbeit noch weiter zu studieren?

für weitere Eintragungen

Hast du mit jemandem zusammengelebt oder eine Familie gegründet?

Hast du Kinder bekommen? Wie viele? Wie war die Beziehung zu ihnen?

Wie hast du deinen Partner gewählt?

Welchen Lebensstil hast du geführt?

Welche Rollen hast du auf dich genommen?

Erdrückten die Rollen dich oder die Familie, oder konntest du deine Persönlichkeit entfalten?

Wie waren deine Gemütsschwankungen in dieser Zeit?

Wie schätzten dich die anderen?

für weitere Eintragungen

Warst du an Gemeinschaftsbildungen beteiligt (Wohnge-meinschaft, Teams, Cliquen usw.)?

Wie haben äußere Erlebnisse auf dich gewirkt – stärkend oder schwächend? Gib einige Beispiele!

Konntest du reisen, andere Länder, andere Menschen kennen lernen?

Welche Interessen hattest du neben der Arbeit?

Hast du das Leben genossen?

Konntest du deine Ideale verwirklichen?

Welche beruflichen Ambitionen hattest du?

Hast du einen Mentor oder guten Chef in der Arbeit gehabt, oder hast du dich autonom, autodidaktisch entwickelt?

für weitere Eintragungen

Hast du in der Arbeit Befriedigung und Selbstverwirklichung gefunden?

Welche Arbeiten haben dir Spaß gemacht?

Welche hast du mit Widerwillen gemacht?

Welche Aussichten hattest du für die Zukunft?

Welches Bild von dir hatten andere, und welches Bild hattest du von dir selber?

Wurden neue Fähigkeiten sichtbar?

Erlebtest du deine Grenzen? Welche?

Wie war dein Grundgefühl in dieser Zeit?

für weitere Eintragungen

Warst du eher introvertiert oder extrovertiert?

Wie war deine Beziehung zur Umwelt, zu den anderen – eher aktiv oder eher passiv?

Hattest du Lebensängste? Welcher Art?

Gab es andere Gefühle, die nun wieder kamen? Hass, Schuld, Zorn?

Welches waren deine Frustrationen?

Welche inneren Werte hättest du in dieser Zeit trotz Heirat oder Arbeit nicht aufgegeben?

Welcher Art war deine Weltanschauung?

Hast du dir einige Selbsterziehungsübungen in dieser Zeit vorgenommen? Welche?

für weitere Eintragungen

Hast du eine Veränderung in dir um das 27. / 28. Lebensjahr gespürt? Welche?

Was für Krankheiten oder psychische Krisen hast du in dieser Zeit durchgemacht?

Hattest du Unfälle?

Wie war deine Sport- und Freizeitbetätigung?

Wie sahen deine Essgewohnheiten in dieser Zeit oder andere Gewohnheiten aus (Süchte, Rauchen, Alkohol, Drogen, Fernsehen oder Internet)?

Welche Kräfte oder Behinderungen resultieren aus dem vierten Jahrsiebt für dein späteres Leben?

Charakterisierung des fünften Jahrsiebts:
28 bis 35 Jahre

Um das 27. bis 28. Lebensjahr merkt der junge Mensch, dass sich innerlich etwas ändert; eine leicht depressive Stimmung macht sich manchmal bemerkbar. Man schaut zurück auf seine Kindheit, Jugend, Studium und Arbeit. Die Ideale und der jugendliche Enthusiasmus fangen an abzubröckeln; manchmal entsteht eine seelische Lähmung. Diese Krise, die häufig als die «Krise der Talente» bezeichnet wird, hat einerseits mit dem Zurücklassen der Vergangenheit zu tun, die uns ja stark von außen geprägt hat, aber andererseits müssen unsere Begabungen und «Talente», die nun verloren zu gehen drohen, neu von innen ergriffen werden, wenn sie sich weiter entfalten sollen. «Was du ererbt von deinen Vätern hast, erwirb es, um es zu besitzen!» Von innen gewisse Elemente neu zu greifen, ist kein leichter Prozess, wir haben den Eindruck, vor einer Wand zu stehen, die durchbrochen werden muss: Wir müssen vorwärts gehen, oder wir werden zurückgeschlagen. Die Individualität muss sich neu ergründen. Die neue Phase, in die wir von 28 bis 35 hineinkommen, wird von Rudolf Steiner die Entwicklung der Verstandes- und Gemütsseele genannt. Unsere Verstandes- und Gemütskräfte (Gehirn und Herz – Denken und Fühlen) müssen in dieser Zeit integriert werden. Vom Intellekt schreiten wir voran zum «Herzensdenken». Diese Phase spiegelt das zweite Jahrsiebt. Wir schöpfen aus den Quellen unseres

Lebens- oder Ätherleibes. Eine neue «Atmungsphase» beginnt – die Beziehungen zur Umwelt müssen harmonisch in Wechselwirkung gestaltet werden.

Meine Erfahrungen aus den vorigen Jahren sind im Begriff, sich zu konsolidieren, ich kann sie gebrauchen, praktisch anwenden. Ich habe in dieser Zeit eine große Begabung zum Rationellen, zum Planen, Organisieren, und die Gefahr ist, dass ich dadurch Macht bekomme und versuche, andere zu unterdrücken. Ich bin auf der Höhe meiner physischen Kräfte, was mir ein gutes Lebensgefühl gibt. Ein Gegengewicht – Toleranz und Respekt dem anderen gegenüber, Liebe und Interesse für den anderen – muss entwickelt werden. Wenn das Gefühlsleben im zweiten Jahrsiebt zu stark durch Normen, Autorität oder religiöse Dogmen unterdrückt wurde, muss ich mich jetzt davon befreien, um zur vollen Entfaltung meiner integralen Persönlichkeit zu kommen.

Für manche gestaltet sich die Zeit besonders von 30 bis 33 schwierig. Sie ist mit Sterbe- und Auferstehungserlebnissen verbunden, eine Konfrontation mit sich selbst; manchmal zieht sich die depressive Stimmung des 28. Lebensjahres bis zu dieser Phase hin und wird erst danach besser. Andererseits ist für manche Menschen diese Zeit ein Höhepunkt; oft findet eine Begegnung mit den Christuskräften statt, ein neues religiöses Empfinden stellt sich ein; maßgebende Begegnungen finden statt. Karfreitagsstimmung und Osterjubel erscheinen als Seelenqualitäten im Wechsel oder bei einem Menschen mehr die eine Stimmung, beim anderen mehr die andere.

Ein Innenraum kann sich bilden, die äußeren Erlebnisse der vorigen Lebensphase werden nun zum inneren Erlebnis. Das Ich braucht einen inneren, seelischen Tempelraum. Es holt aus den Tiefen des Seins seine Kräfte, um die Widerstände zu überwinden. Ich festige mich im Dasein; ich baue an den Fundamenten meiner Existenz.

Es gibt und gab ja auch Menschen, die daran scheitern und den Tod finden – Genies wie Mozart, Schubert und andere. Aber häufig fallen auch Unfälle, eine Aids- oder Krebserkrankung, ein früher Herzinfarkt oder Selbstmord in diese Zeit.

Langsam komme ich dazu, mein Schicksal immer mehr zu verwirklichen; ich finde meinen Wirkungsort und die Menschen, mit denen ich etwas aufbauen möchte. Meine Arbeit wird allmählich anerkannt; ich komme zur Geltung. Ich muss daran arbeiten, meine Lebensziele und -aufgaben zu verwirklichen.

Wenn wir von Gefühl und Verstand sprechen, können wir auch von den weiblichen und männlichen Seelenkräften sprechen. Beide Kräfte können in der eigenen Persönlichkeit integriert werden. Ich komme zu einem Ganzen; ich kann mich nun bis zu einem gewissen Punkt selber ergänzen und muss nicht in die Abhängigkeitssituation der Partnerschaft sowohl im Geschäft wie auch in der Ehe kommen, wie das so häufig im vorangehenden Jahrsiebt der Fall war.

Auch hier können uns besondere Übungen helfen – zum Beispiel die sechs Nebenübungen, die zur Entwicklung der zwölfblättrigen Lotusblume (Kapitel «Über einige Wirkungen der Einweihung» in *Wie erlangt man Erkenntnisse der höheren Welten?* von Rudolf Steiner) gehören. Auch alles Künstlerische bis ins Kunsttherapeutische bringt unsere Seele in Bewegung; das objektive Ordnen unserer Gefühle hilft in dieser Richtung.

Die untenstehenden Fragen helfen uns, ein größeres Bewusstsein von dieser Phase zu erlangen.

Fragen zum fünften Jahrsiebt:
28 bis 35 Jahre

Hattest du eine «Krise der Talente», und bis wann dauerte sie?

Was hat dir geholfen, aus ihr herauszukommen?

Wie war dein Familienleben – hast du in ihm deinen Platz gefunden, ohne unterdrückt zu sein und andere zu unterdrücken?

Wie sind die Beziehungen zum Partner und den Kindern?

Liebst du deinen Partner – kommt Liebe zurück?

Wie hast du dein Berufsleben organisiert?

für weitere Eintragungen

Hast du dort einige deiner Ideen verwirklichen können – welche?

Wie ist dort deine Entfaltungsmöglichkeit?

Bist du im richtigen Beruf, mit den richtigen Menschen, am richtigen Platz?

Machst du das Richtige in deinem Beruf (Planetenqualitäten, siehe drittes Jahrsiebt)?

Gibt es einen Rhythmus in der Arbeit: Tagesrhythmus, Wochen-, Monats-, Jahresrhythmus?

Wie ist das Gleichgewicht zwischen Arbeitsleben und Familienleben?

Hast du eine soziale Arbeit übernommen?

für weitere Eintragungen

Hast du neben dem Beruf Zeit für Sport, Kunst und Weiterbildung?

Gab es neue Einschläge in dieser Phase – neue Einsichten?

Ist die Äußerung von Gefühlen möglich?

Bringst du es fertig, Klarheit und Objektivität in deine Gefühle zu bringen?

Wie ist deine Beziehung zu Männern und Frauen?

Wie ist die Entfaltung deiner männlichen und deiner weiblichen Seite (seelisch)?

Hast du Todes- und Auferstehungserlebnisse?

Hast du dir einen Innenraum geschaffen, oder lebst du ganz nach außen?

für weitere Eintragungen

Was lebt in dir als innere Wahrheit?

Welche von den Normen aus dem zweiten Jahrsiebt hast du abgelegt, welche behalten, welche neu geschaffen?

Wo gibt es Konfliktsituationen?

Welche Personen sind wichtig in deinem Leben?

Bekommst du noch Hilfe von Eltern oder Staat?

Hast du ein Haus?

In was hast du Geld investiert? Hast du Schulden?

Welche Krankheiten, psychischen Krisen oder Unfälle fallen in diese Zeit?

für weitere Eintragungen

Wie gehst du mit deinen Süchten um?

Hattest du besondere Erlebnisse um das 31. Jahr (tiefster Punkt der Inkarnation) oder zwischen 30 und 33 Jahren?

Wie hat dieses Jahrsiebt auf dein späteres Leben gewirkt?

für weitere Eintragungen

Charakterisierung des sechsten Jahrsiebts: 35 bis 42 Jahre

Das sechste Jahrsiebt wird von Rudolf Steiner als Phase der Entwicklung der Bewusstseinsseele bezeichnet. Wir sind nun in der zweiten Hälfte des Lebens, in der ein gradueller Abbau des Leibes beginnt. Sportler merken längst, dass ihre Leistungen nachlassen; Menschen in Berufen, in denen man mehr sitzt oder intellektuell arbeitet, merken das oft noch nicht. Ein Teil der vitalen Kräfte löst sich vom Leib und kann zu einer höheren Entfaltung des Bewusstseins führen. Der physische Leib, der im ersten Jahrsiebt umgebildet worden ist, zeigt sich nun als gesundes Instrument – oder auch als ein etwas defektes Instrument, das die seelisch-geistige Entwicklung nicht ganz freigibt. Die abbauenden Kräfte werden im Seelischen häufig als Todesahnungen gefühlt oder auch als unbekannte Ängste.

Nun kommt es darauf an, die Lebensintentionen immer mehr zu verwirklichen. In der Arbeit geht es immer stärker um echte Teamarbeit und darum, die Begabungen an den richtigen Stellen einzusetzen und die Begabungen anderer anzuerkennen. Anstelle der Rollen muss Authentizität errungen werden; man tut etwas nicht deshalb, weil es getan werden muss oder um dem Chef zu gefallen oder weil der Status es erfordert, sondern weil man Freude daran hat, seine Aufgabe zu verwirklichen. Die innere Biografie kommt immer mehr durch; die äußeren Umstände und Hemmnisse müssen überwunden werden. Neue Einsichten, neue Werte ersetzen die alten – das Sein ersetzt den Schein. Das Leben bringt ja in dieser Zeit die Gefahr mit sich, zur Routine zu werden, sowohl in der Arbeit als auch im Familienleben.

Die Gefahr ist, dass man versucht, die Leere, die häufig entsteht, mit Sex, Alkohol und Drogen (in diesem Alter häufig Kokain) oder anderen Süchten auszufüllen und immer mehr Besitztum anzustreben. Mut zur Selbsterkenntnis ist gefordert. Um das 37. Lebensjahr gehen wir durch den zweiten Mondknoten, und es eröffnen sich neue Möglichkeiten, Vergangenes umzugestalten, den Beruf zu wechseln oder im alten zu neuen Aufgaben durchzustoßen. Die Entschuldigung, die Eltern oder die Erziehung seien schuld daran, dass dies oder jenes nicht zu schaffen sei, gilt nicht mehr. In dieser Zeit sollte man die Eltern akzeptiert haben und ihnen die Erziehungsfehler, die sie bei uns gemacht haben, vergeben haben. Die Kenntnis der eigenen Potenziale und Grenzen ist notwendig; sich selbst mit seinen Begrenzungen zu akzeptieren, macht einen reif, andere mit ihren Grenzen auch anzunehmen; den Mut haben, auf die eigenen Misserfolge zu schauen – was lerne ich aus ihnen?

Das neue Bewusstsein ermöglicht uns auch, stärker die Essenz der Dinge als den Schein zu sehen. Es gibt in dieser Zeit Momente, in denen man einen anderen Menschen in der wahren Tiefe seines Seins neu verstehen und begreifen kann. Man muss sich aber Momente innerer Ruhe schaffen und nicht in der Routine des Alltags aufgehen, sonst entgehen einem diese Geheimnisse des Lebens. Es ist eine neue Schwelle zu einem bewussteren Kontakt zur geistigen Welt, die wir überschreiten, eine Schwelle zum «Sein». Bei vielen Menschen verzögert sich diese Phase und kommt erst im nächsten Jahrsiebt zur Entfaltung. Dies findet man bei Männern oder Frauen, die sehr auf ihre Karriere ausgerichtet sind, oder bei Frauen, die ganz intensiv in der Familie gefordert werden.

In manchen Fällen muss bei intensiver körperlicher Beanspruchung, z.B. bei Frauen, die viele Geburten hintereinander gehabt haben, der Lebensleib unterstützt werden, damit sich die Bewusstseinsseele entfalten kann.

Auch in dieser Phase helfen Übungen Rudolf Steiners, z.B. die Übungen zur Entwicklung der zehnblättrigen Lotusblume, die uns zu Schau und Kenntnis der Talente und Fähigkeiten anderer Menschen bringen (siehe Kapitel «Über einige Wirkungen der Einweihung» aus *Wie erlangt man Erkenntnisse der höheren Welten?*).

Wieder helfen uns die nachstehenden Fragen, ein größeres Bewusstsein von dieser Phase zu erlangen.

für weitere Eintragungen

Fragen zum sechsten Jahrsiebt:
35 bis 42 Jahre

Hat sich etwas Besonderes um das 35. Lebensjahr herum ereignet – oder um das 36. (Jupiter)?

Hat sich eine geringere Vitalität eingestellt?

Wurdest du von besonderen Ängsten (Todesängsten, dem Gefühl, nicht mehr lange zu leben, usw.) befallen?

Kennst du deine Grenzen?

Kennst du deine Potenziale? Werden sie genützt?

Was fällt dir leicht?

für weitere Eintragungen

Was fällt dir schwer?

Gehst du auf Herausforderungen ein?

Hast du eine innere Leere erlebt? Wie bist du damit umgegangen?

Wie weit deckt sich das Bild, das du von dir selber hast, mit
dem, das die anderen von dir haben?

Akzeptierst du dich mit deinen Grenzen?

Wie weit akzeptierst du die Grenzen der anderen?

Hast du dich mit deinen Eltern versöhnt?

Hast du neue Werte für dich angenommen?

für weitere Eintragungen

Hat sich nach deinen neuen Werten etwas im Berufs- und Familienleben geändert?

Bist du auf dem Wege, dein Leitmotiv zu realisieren?

Wie steht es mit deinem physischen, seelischen und geistigen Raum: zu Hause und in der Arbeit?

Wie steht es um die Partnerschaft? Gibt es Leerlauf oder eine neue Vertiefung in der Beziehung?

Kannst du gut in der Gruppe arbeiten?

Wie gehst du mit der Routine um?

Womit hast du am meisten zu tun?

für weitere Eintragungen

Was macht dir am meisten Spaß?

Was für eine Bedeutung hat dein Einkommen für dich im Verhältnis zu deinem Interesse an deiner Arbeit?

Wie ist deine Position im Betrieb?

Was bedeuten für dich Tod, Schmerz und Angst?

Hast du spirituelle Werte gefunden? Welche?

Bist du deinen neuen Werten treu, deinen Idealen?

Was bekommt die Welt durch dich?

Wie sind deine Beziehungen zu den anderen?

für weitere Eintragungen

Spürst du, dass einige Organe schwächer werden oder dass sie immer wieder «rebellieren»?

Wie ist es mit Drogen, Alkohol, Arbeitsmanie (Workaholic)?

Wie machst du von den unterschiedlichen Kommunikationsmedien Gebrauch?

Hast du besondere Veränderungen – innere oder äußere – um das 37. Lebensjahr gespürt? Welche?

Welche Krankheiten, psychischen Krisen oder Unfälle fallen in diese Zeit?

Welche Kräfte oder Behinderungen resultieren aus diesem Jahrsiebt für dein späteres Leben?

für weitere Eintragungen

Charakterisierung des siebten Jahrsiebts: 42 bis 49 Jahre

Schon am Ende des vorangegangenen Jahrsiebts merken wir, dass irgendetwas sich ändern muss. Der 40. Geburtstag erschreckt uns. Andererseits erfüllt uns der Ausspruch «Das Leben beginnt mit 40» mit neuen Hoffnungen. Wir spüren, jetzt wird es ernst im Leben! Das «So-Dahinleben» ist vorbei. Wenn wir in Schwierigkeiten waren, gab es immer jemanden, der uns geholfen hat; jetzt müssen wir uns selbst helfen. Eine gewisse Wehmut überfällt uns – die Jugend hat definitiv ihren Abschied genommen, und trotzdem reizt es uns, das Leben nochmal so ganz auszukosten, vielleicht in neue Abenteuer sich hineinzuwagen, die die langweilige Routine unterbrechen – vielleicht ein neuer Partner? Wir erleben eine gewisse Ohnmacht den Dingen gegenüber, es ist wie eine neue Wand (eine haben wir ja schon um das 28. Lebensjahr herum erlebt), die durchstoßen werden muss. Die so genannte «midlife crisis» macht sich bemerkbar. Können wir die neuen Einsichten, die neuen Werte, die sich uns klar gezeigt haben, nun verwirklichen? Die vorige Phase der Bewusstseinsseelen-Entwicklung dient uns als Sprungbrett für die nächsten Lebensphasen. Schaffen wir den Sprung? Auf jeden Fall fallen wir erst ins kalte Wasser, tauchen unter, um dann mit neuem Schwung herauf an die Oberfläche zu kommen.

Die Phase von 42 bis 49 ist eine Phase erhöhter Kreativität; sie steht unter der Wirkung des Mars. Die Kräfte, die sich nun von den Gliedmaßen (Muskulatur), vom Stoffwechsel und den Sexualorganen allmählich zurückziehen, können zu neuer Kreativität verwendet werden und zur Entwicklung geistiger Fähigkeiten. Unsere Schaffenslust, im Leben wirklich Neues zu entwickeln und etwas umzuwandeln, kann mit Enthusiasmus und Feuer ergriffen werden. Jeder wird seine Kreativität auf anderem Gebiet finden müssen. In dieser Phase kommen wir zu einer größeren Übersicht und Überschau der Welt gegenüber und auch in Bezug auf unseren eigenen Lebenslauf. Die imaginativen Seelenkräfte können sich gut entfalten, sie haben mit einem neuen Schauen zu tun. Die Zeit von 42 bis 63 wird ja als die Phase geistiger Entwicklung betrachtet. Rudolf Steiner nennt sie auch die Phase der Entwicklung des «Geistselbst» – eine höhere Umwandlung des Seelenleibes (Astralleib), die noch Zukunftsaufgabe der Menschheit in ihrer Entwicklung ist, an der aber der individuelle Mensch doch schon arbeiten kann. Die kämpferischen Kräfte nach außen müssen sich verwandeln – der Kampf geht nach innen, in unsere innere «Schmiede».

Langsam können wir auch unsere Lebensfrüchte weitergeben. Ein gesundes Maß zwischen Zurückhaltung und Sich-Geben muss gefunden werden, damit keine Generationenkonflikte entstehen, sondern wir uns gegenseitig akzeptieren. Es gilt, nicht mit Jugendlichen und Adoleszenten zu konkurrieren, sondern echte Kameradschaft zu entwickeln. Ein neuer Stil der Führerschaft kann sich entfalten, in dem man die Freude an der Entwicklung der anderen erleben kann, anstatt sich von ihnen bedroht zu fühlen. Man muss auch lernen, Kritik anzunehmen, ohne sich ständig zu verteidigen und zu rechtfertigen. Oder besteht die Tendenz, zum Tyrannen zu werden und durch Macht und Autorität weiter zu wirken?

Am Ende dieser Phase steht die Menopause der Frau. Die Angst vor dem Altwerden kann sowohl beim Mann als auch bei der Frau zu einer zweiten Adoleszenz führen – in der Sport oder Sex wieder einen großen Stellenwert bekommen.

Der Verlust der äußeren Anmut kann durch Ausstrahlen von innerer Harmonie ersetzt werden. Rudolf Steiner bezeichnet das Ende dieses Jahrsiebts für viele Menschen als das Ende der Zeit der karmischen Erfüllung, für andere jedoch erstreckt sich diese Phase bis zum 63. Lebensjahr. Dadurch ist auch das 49. Lebensjahr eine neue Brücke, die zu überschreiten nicht jedem gegönnt ist.

Wieder können uns einige Fragen zu einem größeren Bewusstsein dieser Phase führen.

für weitere Eintragungen

Fragen zum siebten Jahrsiebt:
42 bis 49 Jahre

Welche inneren und äußeren Veränderungen hast du um das 42. Lebensjahr gespürt?

Warst du in einer Krise? Wodurch wurde sie verursacht?

Hast du sie mit Angst oder mit Mut entgegengenommen?

Fühlst du dich allein oder gestützt?

Was bedeutet für dich der andere? In der Partnerschaft? Im Geschäft?

Was glaubst du, für ihn tun zu können?

Wie ist die Beziehung zu deinem Partner?

für weitere Eintragungen

Wie ist die Beziehung zu deinen Kindern? Erfüllen sie deine Erwartungen?

Hast du dich noch einmal verliebt? Wie stellst du dich dazu?

Wie gehst du mit dem Abnehmen deiner Kräfte um? Treibst du Sport?

Wie gehst du mit dem Abnehmen deiner Anmut um?

Fühlst du eine Leere, weil deine Kinder groß sind? Versuchst du, sie an dich zu binden?

Fühlst du dich in deiner Arbeit von Jüngeren bedrängt?

Arbeitest du daran, deine Arbeitsweise zu ändern? Eine neue Führerschaft zu entwickeln, deine Kenntnisse weiterzugeben? Bemühst du dich um jüngere, nachwachsende Arbeitskräfte?

für weitere Eintragungen

Fühlst du dich kreativ?

Kannst du in Einklang mit deinen neuen Werten leben?

Wie stimmen innere und äußere Wahrheit überein?

Wie machst du von den verschiedenen Kommunikations-medien Gebrauch?

Kannst du neue Lebensziele verwirklichen, oder wurden sie gelähmt?

Welche Gewohnheiten müsstest du – deinem Gefühl nach – ändern?

Wenn du dich weiterentwickeln willst, was musst du tun oder unterlassen?

Gelingt es dir, die Früchte deines Lebens weiterzugeben?

für weitere Eintragungen

Fühlst du Authentizität in deinem Handeln, oder handelst du noch nach Normen und Rollen?

Hast du neue soziale Aufgaben ergriffen oder neue Interessen entwickelt?

Was hast du an Genialitäten begraben, die du jetzt wieder heraufholen könntest?

Hast du besondere Veränderungen mit 48 Jahren (Jupiter) bemerkt?

Was für Krankheiten, Unfälle oder psychische Krisen hattest du in dieser Phase?

Wie steht es mit Drogen, Medikamenten, Alkohol und anderen Süchten?

Wie hat sich dieses Jahrsiebt auf das spätere Leben ausgewirkt?

für weitere Eintragungen

Charakterisierung des achten Jahrsiebts:
49 bis 56 Jahre

Im achten Jahrsiebt, das Rudolf Steiner als die Phase der Entwicklung des «Lebensgeistes» bezeichnet (Umwandlung des Lebensleibes), stehen wir unter der Signatur des Jupiter-Planeten. Weisheit, Überschau, Ruhe, Milde, Selbstlosigkeit, Dankbarkeit und Harmonie können am Ende dieser Zeit entstehen, in der die Selbstverwirklichung noch stark im Vordergrund steht. Die großen Fragen der Menschheit bewegen uns: Fragen der Moralität und der Ethik – was wird aus der Menschheit, was wird aus unserer Erde, wenn wir nicht als Menschen umgehend neue Einsichten von Mensch und Welt erringen? Wo bleibt die Würde des Menschen überhaupt? Was könnten wir zu echten Friedensbestrebungen beitragen? Wie steht es mit der sozialen Frage? Aus der Loslösung der Kräfte von Herz und Lunge, dem rhythmischen System, entstehen für den Hellhörigen diese Art von Fragen.

In dieser Phase braucht das rhythmische System besondere Aufmerksamkeit; wenn es überspannt und überfordert wird, kommt es zu rhythmischen Störungen bis hin zu einem Herzinfarkt. Das Freiwerden jener Kräfte ermöglicht es, zur «inspirativen Seele» zu kommen – um dies zu üben, kann man sich angewöhnen, sowohl auf seine «innere Stimme» als auch auf die Fragen der Außenwelt besser hinzuhören. In der Arbeit kommt es jetzt sehr darauf an, Arbeiten an die richtigen Menschen zu delegieren, nicht mehr selbst mitten in den Ausführungen der Arbeit zu stehen, stattdessen diese an Menschen mit professionellen Fähigkeiten weiterzugeben, die einen einmal ersetzen werden, damit die eigene Organisation in ihrer Kontinuität gesichert ist.

Im Familienleben haben wir Gelegenheit, uns vielleicht nicht nur um die eigenen Kinder zu kümmern, sondern mehr um die Generation junger Leute, in der nun auch unsere Kinder stehen. Wir fühlen uns dieser jüngeren Generation verpflichtet.

Viele Karrieren und Berufe kommen in dieser Zeit zu ihren Höhepunkten; wir können uns aber häufig von alten Situationen und Familienumständen nicht lösen. Auch die Familie, die wir begründet haben, die Kinder, dürfen nicht gehalten werden, sondern müssen ihren natürlichen Weg in die Welt finden. Anstatt sie gewaltsam festzuhalten, müssen wir es fertig bringen, ihnen zu helfen, den Lösungsprozess zu vollziehen. Wir stehen vielleicht wieder zu zweit in der Partnerschaft und müssen auch hier allerlei neue Kreativität und Flexibilität entfalten, um zu einer Vertiefung der Beziehung zu kommen – anstelle eines mürrischen Zusammenlebens, das man weiter beibehält, weil man doch schon so lange beisammen war. Am Ende dieser Zeit steht die Andropause beim Mann, die zwar biologisch nicht so einschneidend wie bei der Frau ist, aber dennoch zu Eheschwierigkeiten führen kann. Wenn der Mann seiner Frau geholfen hat, die Menopause zu überwinden, kann sie ihm jetzt vielleicht auch in dieser Phase helfen, die sich mehr im Seelischen abspielt; oft wehrt sich der Mann gegen das Altwerden oder zeigt, dass er doch noch der «Beste» ist und so weiter.

Am Ende dieser Phase, mit 55 ½ Jahren etwa, kommen wir nicht nur an den Übergang zu einem neuen Jahrsiebt, sondern auch zum dritten Mondknoten. Was bleibt hier zurück, was kommt neu? Was haben wir im Leben verwirklicht, was bleibt noch zu realisieren? Auf welche neuen Fähigkeiten kommt es an, die wir entwickeln sollten?

Die nachfolgenden Fragen helfen uns wieder, ein größeres Bewusstsein für diese Phase zu bekommen.

für weitere Eintragungen

Fragen zum achten Jahrsiebt:
49 bis 56 Jahre

Wie war der Übergang zum 49. Lebensjahr?

Hast du einen neuen Lebensrhythmus gefunden?

Bist du noch flexibel, anspornbar, oder erstarrst du im Physischen oder im Seelischen oder im Geistigen?

Wie gibst du deine Lebenserfahrung an andere weiter (lehren, ohne zu belehren)?

Konntest du deine Führungs- und Organisationskräfte in Bezug auf Mitarbeiter oder Mitmenschen freilassend formen (soziale Fähigkeiten, die richtigen Menschen an die richtige Stelle führen)?

für weitere Eintragungen

Welche allgemein-menschlichen Aufgaben kamen auf dich zu, oder hast du neue angenommen?

Welche neuen Ziele, Ideale, Interessen konntest du verwirklichen?

Welche sind neu dazugekommen?

Fühlst du dich in Einklang mit deiner Moral und Ethik?

Welche Gewohnheiten hast du verändert?

Lebt in dir ein geistiges oder religiöses Streben?

Wie kommst du mit jüngeren Menschen aus?

Führst du dein Leben harmonisch, ausgeglichen, oder fehlt dir etwas?

für weitere Eintragungen

Wie gehst du mit deiner Sexualität um?

Wie war es in der zweiten Hälfte des 56. Lebensjahres (also mit 55 ½ Jahren, dritter Mondknoten)? Gab es innere oder äußere Veränderungen?

Welche Krankheiten, psychischen Krisen, Unfälle hattest du?

Drogen, Medikamente, Süchte?

Als Frau: Wann und wie war die Menopause?

Wie hat sich dieses Jahrsiebt auf spätere Phasen im Leben ausgewirkt?

Wie gehst du mit den neuen Errungenschaften der Wissenschaft um?

Wie wirkt sich die moderne Wirtschaft auf dein Leben aus?

für weitere Eintragungen

Was könntest du gegebenenfalls im eigenen Betrieb oder am Arbeitsplatz zur Modernisierung beitragen?

Wie gehst du mit den neuen technischen Errungenschaften um? Wie wirkt sich dies auf dich persönlich und in der menschlichen Zusammenarbeit aus?

Wie gehst du mit den modernen Kommunikationsmitteln um?

für weitere Eintragungen

Charakterisierung des neunten Jahrsiebts: 56 bis 63 Jahre

Rudolf Steiner gibt für das neunte Jahrsiebt die Entwicklung der Anlage des «Geistesmenschen» (Umwandlung aus den Kräften des physischen Leibes) an. Es ist die «mystische Phase» im Leben – so nennt Bernard Lievegoed sie. Zugleich ist es die Phase der Entwicklung der «intuitiven Seele». Ganz besonders unsere Sinne und das Nervensystem geben einen Teil ihrer Kräfte zur Entfaltung dieses geistigen Organs frei. Die Sinne benötigen eine besondere Pflege, damit sie sich nicht zu schnell der Welt gegenüber verschließen. Andererseits ermöglicht uns der weniger intensive Kontakt mit der Welt, stärker in unser Inneres einzutauchen und zu wahren Intuitionen (der geistigen Realität der Dinge) zu kommen. Dort ist die Quelle zum Enthusiasmus und neuer Lebensmotivation. Es ist die Zeit des Sterbens und Werdens. Wir stehen unter der Wirkung der Saturnkräfte, ganz besonders um das 60. Lebensjahr. Was muss absterben, was soll neu belebt werden? Das Physische stirbt immer mehr, und das Geistige wird immer freier zur Auferstehung. Der physische Leib mineralisiert immer stärker, die Knochen werden poröser. Durch Bewegung und richtige Ernährung können wir einer zu schnellen Entkalkung der Knochen entgegenwirken. Auch unser Denken braucht die Übung, damit sich keine Frühsklerose einstellt; Gedächtnisübungen, Mathematik, Philosophie, das Erlernen einer neuen Sprache und so weiter können zur Belebung des Gehirns beitragen.

Unsere Lebenserfahrungen werden zur eigenen Lebensphilosophie. Die Saturnkraft ermöglicht uns, auf das Leben zurückzuschauen, uns auf unsere Lebensaufgaben zu besinnen – was habe ich realisiert, was ist noch offen, was möchte ich in der Zukunft Neues lernen oder entwickeln? Gibt es zurückgebliebene, ungelöste Probleme oder Beziehungen, die ich gerne in Ordnung bringen würde? Wie verteile ich meine physischen Güter (Testament)?

Rückschau, Selbstkritik und Entsagung sind Übungselemente für diese Phase. Im Beruf ist die Zeit gekommen, in der ich andere an die Führungsrolle heranlasse, aber selber noch für Hilfen oder Gespräche zur Verfügung stehe (die Rolle der grauen Eminenz!). Wir können ein Guru für andere werden, aber ein echter Guru, der den anderen nicht nachläuft und versucht, überall seine Weisheit anzubringen, sondern der versucht zu antworten, wenn er gefragt wird, und da zu sein, wenn andere ihn brauchen.

Das «Ich» hat nun die Möglichkeit, von innen heraus zu leuchten – merken wir das an unseren Großeltern? Oder ist der physische Leib so verhärtet, dass das Strahlende gar nicht durchkommt? Oder sind wir voller Bitterkeiten, Schuldgefühle, Frustrationen, die das eigene Leben und das der anderen anfangen zu vergiften?

Der Verlust des Partners kann zu neuen Aufgaben aufrufen. Es besteht häufig die Gefahr, dass man durch die Massenmedien «in die Illusion» des Lebens kommt, anstatt wirklich zu leben. Man kann auch in der Illusion einer Arbeit bleiben, die routinemäßig weiterrollt.

Der Ruhestand kann bedrohlich oder befreiend wirken.
Eine falsche Sicherheit von außen (Rente, Versicherung usw.)
ersetzt die innere Sicherheit. Man muss vieles sterben lassen,
um Raum für Auferstehungsprozesse nach dem 63. Lebensjahr schaffen zu können.

Die anschließenden Fragen verhelfen zu einem größeren
Bewusstsein dieser Phase.

für weitere Eintragungen

Fragen zum neunten Jahrsiebt:
56 bis 63 Jahre

Wie war der Übergang zum 56. Lebensjahr? Gab es Krisen?
Äußere oder innere Veränderungen? Wie war das 60. Lebensjahr (Jupiter)?

Wie sind deine Sinnesorgane?

Tust du etwas für ihre Pflege? Was?

Wie steht es mit deinem Gedächtnis?

Was für Übungen machst du für das Gedächtnis?

Wie steht es mit deiner physischen Beweglichkeit?

für weitere Eintragungen

Was machst du für Übungen, um diese zu erhalten?

Hast du seelischen Kummer oder Ärgernisse, bist du unzufrieden?

Was für einen Sinn siehst du in deinem Leben?

Hast du deine Lebensziele erreicht?

Was möchtest du noch in der Zukunft entwickeln?

Wie sieht dein Zukunftslebensplan aus?

Wie gehst du mit den Verlusten um?

Hast du Lust, neue Dinge zu lernen?

für weitere Eintragungen

Wie gehst du mit den Innovationen der Technik um? Welchen Gebrauch machst du von den modernen Kommunikationsmitteln?

Hast du eine finanzielle Existenzmöglichkeit für die nächsten Jahre deines Lebens? Hast du die Verwaltung deiner Güter organisiert?

Wie sieht es in deinem Beziehungsfeld aus?

Hast du in den alten Beziehungen noch Dinge, die geregelt oder versöhnt werden sollten?

Wie ist die Beziehung zur jüngeren Generation?

Wie ist die Beziehung zu deinen eigenen Kindern und Enkeln?

Was für Bindungen hast du im Leben?

für weitere Eintragungen

Welche Dinge sollten respektiert werden, wenn du todkrank bist?

Wie soll dein Leben nach dem Ruhestand aussehen?

Was für Behinderungen hast du – körperlicher oder seelischer Art?

Welche Krankheiten, Unfälle, Operationen usw. hast du?

Wie steht es mit Drogen, Medikamenten, Süchten?

für weitere Eintragungen

Eine kurze Charakterisierung der Lebensphasen nach 63

Heute erreichen immer mehr Menschen ein hohes Alter. Die große Frage ist, wie wir das Alter gestalten, sodass die nächsten Phasen fruchtbar für uns selbst und für andere werden? Die Rhythmen und Gesetzmäßigkeiten sind jetzt nicht mehr so klar, aber trotzdem aufzeigbar. Wenn wir das Spannungsfeld von 63 bis 84 Jahren nehmen (84 Jahre ist die Umlaufzeit des Uranus), so haben wir nochmals drei Jahrsiebte vor uns, in denen eine Bewusstseinserweiterung möglich ist, in denen der schaffende Geist, wenn er sich von den körperlichen Gebrechen befreien kann, sehr kreativ sein kann.

Zwei Drittel der großen künstlerischen Werke der Menschheit sind nach dem 60. Lebensjahr entstanden.

Um kreativ zu sein, ist es nötig, dass wir ganz besonders auf unsere ersten drei Jahrsiebte zurückschauen, in denen die Güte, Schönheit und Wahrheit, die wir erleben durften, nun ganz zu unserem inneren Wesen gehören und wir uns innerlich nach ihnen richten können.

Vom 63. bis 70. Lebensjahr können wir die Andacht am Kleinen neu beleben und die Kindheitskräfte im Spielerisch-Kreativen heraufholen. Einige Autoren setzen diese Phase unter eine Uranuswirkung («Uranus» = der gestirnte Himmel).

In diesem Zeitabschnitt liegt auch das 66. Lebensjahr, das sich auszeichnet durch den Rhythmus von 2 · 33 Jahren – ein

Rhythmus, der unserer Erde durch die Christuswesenheit eingeprägt wurde.

Die Phase von 70 bis 77 ist eine Zeit, in der wir erneut die Schönheit der Welt, die Kunstwerke der Menschheit erleben können; unsere Gebets- und Devotionshaltung aus der Kindheit kann uns zugute kommen, und wir können nun unsere betenden Hände, die aufwärts strebten, umkehren und segnend nach unten wenden.

Um das 72. Lebensjahr stehen wir erneut an einer Schwelle; jetzt ist die Sonne durch die Präzession um einen Tag hinter dem Stern zurückgeblieben, vor dem sie zum Zeitpunkt unserer Geburt gestanden hat. Rudolf Steiner deutet deshalb an, dass unser Geburtsstern uns nun zurückfordert (*Esoterische Betrachtungen karmischer Zusammenhänge,* Band II, 3. Vortrag). Widerstehen wir diesem Ruf, weil wir noch Erdenaufgaben haben?

Einige Autoren ordnen dieses Jahrsiebt dem Neptun zu. Im mythologischen Bild steigt Neptun mit seiner Kutsche, von weißen Pferden gezogen, als alter, bärtiger Mann aus dem Meer, über die Meeresungetüme hinweg, die sich friedlich im still gewordenen Wasser tummeln – ein deutliches Bild für die Überwindung aller Emotionen, über die man sich erheben kann.

Die Phase von 77 bis 84 ist die Phase, in der wir uns intensiv der Wahrheit nähern – der Wahrheit und Realität des Todes, der uns bevorsteht. Dazu brauchen wir die Kräfte unserer Adoleszenz (des dritten Jahrsiebts). Haben wir Wahrheit, Authentizität in der Suche nach dem Geistigen gelebt?

Diese Phase, die von einigen Autoren dem Pluto zugeordnet wird, hat das bizarre Benehmen dieses Planeten. Pluto ist in der griechischen Mythologie der Gott der Unterwelt, des Hades, des Unbewussten. Er fesselt die Seele, Persephone, an sich. Wie weit entreißt sich unser Geistig-Seelisches diesen Fesseln des Leibes, um in den Höhen zu leben, wie Persephone zeitweise im Licht? Es geht hier auch um eine bewusste Vorbereitung auf den Tod und das Nachtodliche. Viele Menschen erleben jetzt schon das Jenseits der Schwelle voraus. Die Vorbereitung auf den Tod geschieht allerdings nicht nur in dieser Phase, sondern während des ganzen Lebens. Wie ich gelebt habe, so sterbe ich. Das Sterben ist nicht von der Biografie losgelöst.

Die letzten drei Lebensphasen können auch wie eine Gebirgswanderschaft empfunden werden, bei der man auf einen Gipfel kommt und erlebt, dass noch ein höherer Gipfel zu ersteigen ist, bis schließlich der Adlerflug uns in die untergehende Sonne den Weg weist (siehe dazu auch von Gudrun Burkhard, *Die Freiheit im «Dritten Alter»*, Stuttgart, 2. Aufl. 2004).

Für die letzten drei Phasen gelten die Fragen des 56. bis 63. Lebensjahres, und sie können mit folgenden Fragen ergänzt werden:

Übst du irgendeine künstlerische oder handwerkliche Betätigung aus? Welche?

Übst du eine geistige Betätigung aus? Welcher Art?

für weitere Eintragungen

Welche Verpflichtungen hast du?

Lebst du allein oder in der Familie? Oder mit dem Ehepartner? Oder im Altenwohnheim?

Hast du eine sinnvolle Beschäftigung? Welche?

Versorgst du dich selber, oder hast du eine Hilfe?

Liebst du Gesellschaft, oder bist du lieber allein?

Wie ist deine Beziehung zu Kindern und Enkeln?

Unternimmst du gerne noch Reisen?

Was macht dir am meisten Spaß?

Was ärgert dich am meisten?

Was bedrückt dich?

Was würdest du gerne ändern?

für weitere Eintragungen

Hier noch einige Fragen, die auf den Beruf
ausgerichtet sind und hilfreich sein können
(ab dem 30. Lebensjahr)

Es hilft uns sehr, eine Auflistung von allen Dingen zu machen, die uns besonders Spaß gemacht haben. Dies kann schon beim ersten Jahrsiebt anfangen:
An welchen Spielen habe ich mich am liebsten beteiligt?

Im zweiten Jahrsiebt: Welche Pflichten habe ich im Haus und in der Schule gerne erledigt?

Im dritten Jahrsiebt: Welche Arbeiten, Betätigungen haben mir am meisten Freude gemacht?

Und so weiter für jedes Jahrsiebt.

Schauen wir diese Tätigkeiten an, so finden wir darin eine ähnliche Qualität, ein Charakteristikum, vielleicht einen roten Faden? Was hat er uns zu sagen?

Glaubst du, den richtigen Beruf gefunden zu haben?

für weitere Eintragungen

Hast du die richtigen Menschen gefunden, mit denen du arbeiten möchtest? Tust du das richtige, deinen Qualitäten entsprechend, in diesem Beruf (forschen / überschauen, planen; organisieren, unternehmen / erhalten, pflegen; erneuern, in Bewegung bringen / konservieren, archivieren)?

Auf welchem Gebiet liegen deine Interessen?

Wie sind deine zukünftigen Karrieremöglichkeiten?

Hast du Möglichkeiten im Beruf, außer deiner Karriere, dich auch menschlich zu entwickeln?

Welches sind die Herausforderungen?

Hast du Gelegenheit, deine Potenziale zu nützen?

Was fällt dir leicht, was fällt dir schwer?

Fällt es dir leicht, mit Übergeordneten und Untergebenen umzugehen? Warum? Wo liegen die Schwierigkeiten?

für weitere Eintragungen

Woran hast du Freude?

Was machst du mit Widerwillen?

Noch einige allgemeine Fragen:

Gibt es Situationen in deinem Leben, die sich des Öfteren wiederholen?

Wo liegen deine Begabungen (es geht wie von selbst)?

Was fällt dir schwer?

Welche «alten Äste» musst du von deinem Lebensbaum abschneiden, damit neue «Augen» sprießen oder Potenziale sich entfalten können?

Hast du dein Leitmotiv, den roten Faden deines Lebens gefunden?

Bist du auf dem Wege, deine Lebensaufgabe zu erfüllen?

für weitere Eintragungen

Abschluss

Diese Fragen zur Biografie wurden von verschiedenen Arbeitsgruppen mit mir zusammen ausgearbeitet. Es hat sich erwiesen, dass derjenige, der therapeutisch mit der Biografie arbeitet, beim Besinnen auf das Urbild des Jahrsiebts auf ähnliche Fragen kommen kann. Maßgebend sind die Entwicklungsgesetze des Menschen, wie sie von Rudolf Steiner in vielen Vorträgen dargestellt wurden. So sind die Fragen noch lange nicht erschöpft, und es kann eine kreative und bewusstseinsweckende Arbeit für jeden Einzelnen sein, diese Fragen aus sich herauszuholen. Dazu soll dieses Buch eine Anregung sein. Es kann eine Richtung geben, ist aber auf keinen Fall als festgelegtes Schema zu verstehen. Für spezielle medizinische Gebiete wie Kinderheilkunde, Psychosomatik oder Psychiatrie müssen diese Fragen auch erweitert werden. Die Autorin nimmt Anregungen zur Erweiterung dieser Fragestellungen gerne entgegen.

Literaturhinweise

Gudrun Burkhard: *Das Leben in die Hand nehmen. Arbeit an der eigenen Biografie.* Stuttgart [12]2010; *Das Leben geht weiter. Geistige Kräfte in der Biografie.* Stuttgart [2]2004; *Die Freiheit im «Dritten Alter». Biografische Gesetzmäßigkeiten im Leben nach 63.* Stuttgart [2]2004; *Mann und Frau. Integrative Biografiearbeit.* Stuttgart [2]2004.

Flensburger Hefte: *Biographiearbeit*, Heft 31. *Biographiearbeit II*, Sonderheft 10.

Bernard Lievegoed: *Entwicklungsphasen des Kindes.* Stuttgart [5]1990; *Lebenskrisen – Lebenschancen.* München [8]1991; *Der Mensch an der Schwelle.* Stuttgart [5]2002.

Georg und Gisela O'Neil: *Der Lebenslauf.* Stuttgart [3]2002.

Rudolf Steiner: *Wie erlangt man Erkenntnisse der höheren Welten?* (GA 10) Dornach [24]1993; *Metamorphosen des Seelenlebens* (GA 58), Dornach 1984; *Praktische Ausbildung des Denkens.* Vortrag 18.1.1909, Dornach 1993; *Soziale und antisoziale Triebe im Menschen.* Vortrag 12.12.1918, Dornach 1992; *Esoterische Betrachtungen karmischer Zusammenhänge.* Band II (GA 236), Dornach [6]1988.

Rudolf Treichler: *Die Entwicklung der Seele im Lebenslauf.* Stuttgart [6]2004.

Mathias Wais: *Biografiearbeit – Lebensberatung. Krisen und Entwicklungschancen des Erwachsenen.* Stuttgart [7]2010.

Weitere Bücher von Gudrun Burkhard

Das Leben in die Hand nehmen
Arbeit an der eigenen Biografie
Mit einem Vorwort von Dr. Michaela Glöckler.
247 Seiten, kartoniert

Das Leben geht weiter
Geistige Kräfte in der Biografie
254 Seiten mit einer Beilage, kartoniert

Die Freiheit im «Dritten Alter»
Biografische Gesetzmäßigkeiten im Leben nach 63
314 Seiten, kartoniert

Mann und Frau
Integrative Biografiearbeit
272 Seiten, kartoniert

Verlag Freies Geistesleben